KB076050

로니와 아이언맨의 황금장갑

강성원

로니와 아이언맨의 황금 장갑

발행	|	2024년 3월 30일
저자	|	강성원
디자인	|	어비, 미드저니
편집	|	어비
펴낸이	|	송태민
펴낸곳	|	열린 인공지능
등록	|	2023.03.09(제2023-16호)
주소	|	서울특별시 영등포구 영등포로 112
전화	|	(0505)044-0088
이메일	|	book@uhbee.net

ISBN | 979-11-93116-47-0

www.OpenAIBooks.shop

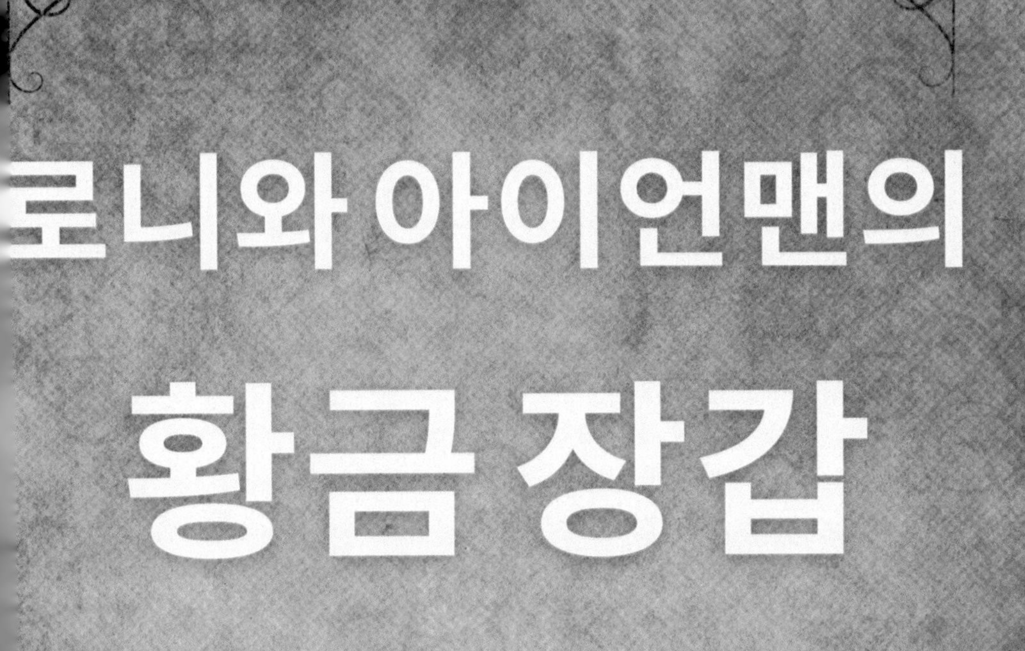

로니와 아이언맨의 황금 장갑

강성원

목차

머리말

“로니와 아이언맨의 황금장갑"은 예민하고 소심한 성격을 지닌 로니가 어떻게 자신의 꿈을 향해 나아가고, 가족과 친구들을 지키는 모험을 하게 되는지를 그린 이야기입니다.

로니는 키는 작지만 커다란 꿈을 가진 5살 남자아이입니다. 그의 눈은 언제나 아이언맨처럼 강하고 힘찬 모습으로 반짝입니다. 아이언맨에 푹 빠져 있던 그는 어느 날, 아이언맨처럼 힘이 세게 해주는 황금장갑을 찾게 되고, 그것을 통해 특별한 능력을 갖추게 됩니다.

가족과 친구, 소중한 사람들을 지키고 싶어 하는 로니는 아이언맨과 함께 모험하며, 용기를 내서 힘든 상황에 맞서기 시작합니다. 로니의 모험은 친구들과의 협력과 우정, 그리고 자기 발견의 여정을 담아내고 있습니다.

이 동화책은 어린아이들에게 꿈과 용기, 가족과 친구에 대한 소중함을 전해주고 있습니다. 누구나 하나씩 가지고 있는 자신만의 황금장갑을 찾아 용감하게 모험을 떠날 수 있기를 바랍니다. "로니와 아이언맨의 황금장갑"을 통해 작은 행복과 큰 꿈을 함께 나눌 수 있기를 바랍니다.

저자 소개

저자는 33년간 교직 생활을 했다

퇴직 후에는 손주들을 돌보며 블로그에 육아 일기를 쓰고 있다.

블로그 닉네임은 '샤론할매'다.

손주들 이름을 축약한 '샤론'에 '할매'를 붙여서 만들었다.

일상의 내용을 있는 그대로 육아 일기에 써서 그런지 블로그에 젊은 엄마 이웃이 많다. 38개월 손자와 20개월 손녀를 돌보느라 매일의 일과는 전쟁터 같다.

이런 내용을 '만화로 그린 육아 일기', '시조로 쓴 육아 일기' 등 다양한 형태로 쓰고 있다

새로운 것에 대한 호기심도 강해서 퇴직 후 공부를 더 많이 하고 있다. 뒤늦게 챗GPT와 노는 재미에 빠졌다.

매일 세상이 너무 재미있어서 큰일이라고 말하는 엉뚱 발랄한 할매다.

로니의 소망

로니의 소개

로니는 작고 예민한 5살 남자아이로 또래보다 성격이 섬세합니다. 그의 눈은 꿈과 상상력으로 늘 반짝이고 있습니다. 세상의 아름다움을 발견하는 것을 좋아하는 로니는 호기심도 강합니다. 살짝 소심한 성격이지만, 마음속은 가족과 친구에 대한 사랑으로 가득 차 있습니다.

아이언맨을 무척 좋아하는 로니는 아이언맨처럼 힘과 용기를 가질 수 있기를 간절하게 소망하고 있습니다. 이유는 아이언맨처럼 힘이 세져서 악당으로부터 가족을 지키고 싶기 때문입니다.

로니는 할머니, 할아버지, 엄마, 아빠, 그리고 사랑스러운 여동생과 함께 살고 있습니다. 가족들은 로니에게 무한한 지지와 사랑을 주고, 로니 또한 그들을 무척 사랑하고 있습니다.

아이언맨을 향한 로니의 열정

로니는 하늘을 나는 갑옷을 입은 아이언맨에 푹 빠져 있습니다. 로니는 매일 밤 침대에 누워 아이언맨이 세상을 지키기 위해, 어떤 모험을 하고 있을지 상상합니다.

로니의 머릿속은 항상 특별한 장비와 황금빛 갑옷을 입고, 사악한 악당들과 맞서는 아이언맨의 모습으로 가득 차 있습니다. 상상 속의 로니는 언제나 아이언맨처럼 힘이 세고, 세상을 지켜내는 영웅이 되어 있습니다.

가족과 친구들

로니는 따뜻하고 화목한 집안에서 자랐습니다. 할머니와 할아버지는 재미있는 책을 자주 읽어줍니다. 엄마와 아빠는 언제나 로니의 꿈을 응원하며, 로니와 모든 순간을 함께하고 싶어 합니다. 로니의 사랑스러운 여동생은 오빠를 좋아해서 무엇이든 따라 합니다.

로니에게는 특별한 친구가 세 명 있습니다. 나리는 예쁘고 똑똑한 여자친구입니다. 항상 로니를 응원하며 함께 모험을 떠나고자 합니다. 도담이는 활발하고 개구쟁이인 남자친구로, 에너지가 넘쳐서 로니에게 웃음을 주고 있습니다. 키가 크고 잘생긴 마이클은 한국말이 서툴기는 하지만 따뜻한 마음을 가진 친구입니다. 다양한 문화를 가진 그와의 우정은 로니에게 새로운 경험을 안겨줍니다.

로니의 모험시작

아이언맨의 힘을 가지고 싶은 로니

로니는 친구들보다 키가 작습니다. 그래서 키가 크고 힘이 센 친구들이 놀이에서 자주 따돌렸습니다. 로니는 하루라도 빨리 키도 크고, 힘이 세져서 친구들과 재미있게 놀고 싶었습니다. 그런 로니에게 무엇이든 할 수 있는 아이언맨은 멋진 영웅이었습니다. 아이언맨은 불가능한 것을 가능하게 만들어 주는 슈퍼 히어로이기 때문입니다.

아이언맨은 로니에게 힘과 용기, 자신을 뛰어넘을 수 있는 능력을 상징합니다. 로니는 작지만, 가족과 친구들을 지키는 영웅이 되고 싶어 했습니다. 그래서 하루빨리 아이언맨처럼 강한 힘이 생기게 해달라고 매일 밤 기도 했습니다.

아이언맨의 황금장갑을 찾아서

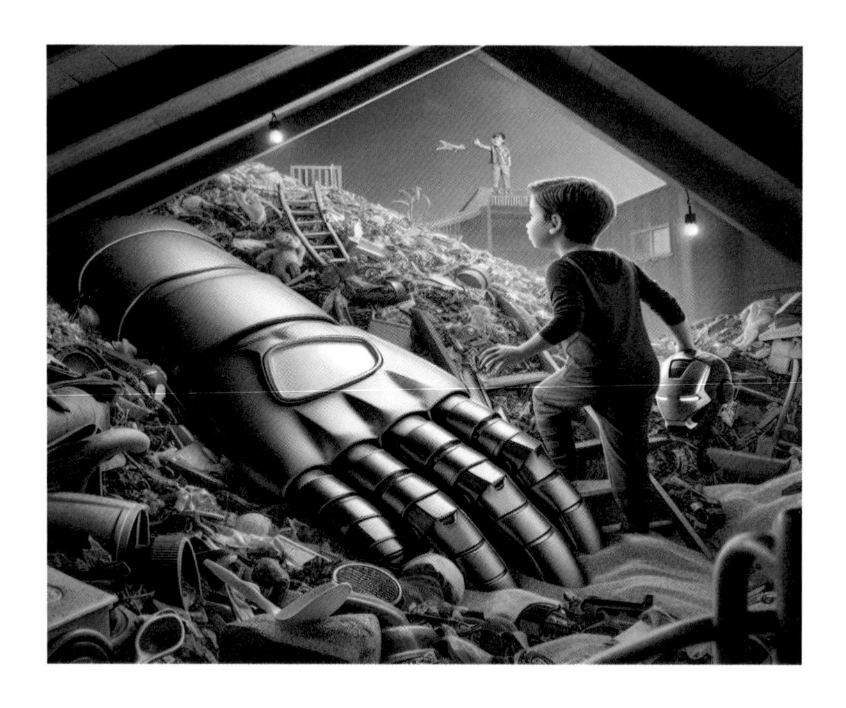

로니는 아이언맨의 황금장갑을 찾기로 결심했습니다. 왜냐하면 이 특별한 장갑이 있어야 아이언맨처럼 힘이 생길 수 있다고 믿기 때문입니다.

로니는 잡동사니로 가득 찬 다락방에 올라가 하루 종일 황금장갑을 찾아보았습니다. 놀이터에 놀러 가면 모래밭을 파 보거나, 동굴처럼 생긴 미끄럼틀 속을 들여다보기도 했습니다. 황금장갑은 어디에도 없었습니다. 로니는 실망이 컸습니다.

고마운 친구들

친구들은 로니가 황금장갑을 찾지 못해 실망하자 함께 찾아주기로 했습니다. 또래보다 어른스러운 나리는 지혜로운 친구입니다. 나리는 황금장갑이 있을 만한 곳을 로니에게 추천해 주기로 했습니다. 도담이는 개구쟁이지만 로니가 슬퍼할 때마다 웃을 수 있게 해 주는 친구입니다. 도담이는 두려워하는 로니의 손을 잡고 황금장갑 찾는 것을 도와주기로 했습니다.

마이클은 로니와 말은 잘 안 통하지만 서로의 마음을 잘 알아줍니다. 마이클은 가끔 친구들이 다투거나 의견이 다를 때 화해할 수 있도록 도와줍니다. 고마운 세 친구 덕분에 로니는 황금장갑 찾는 것을 포기하지 않을 수 있었습니다.

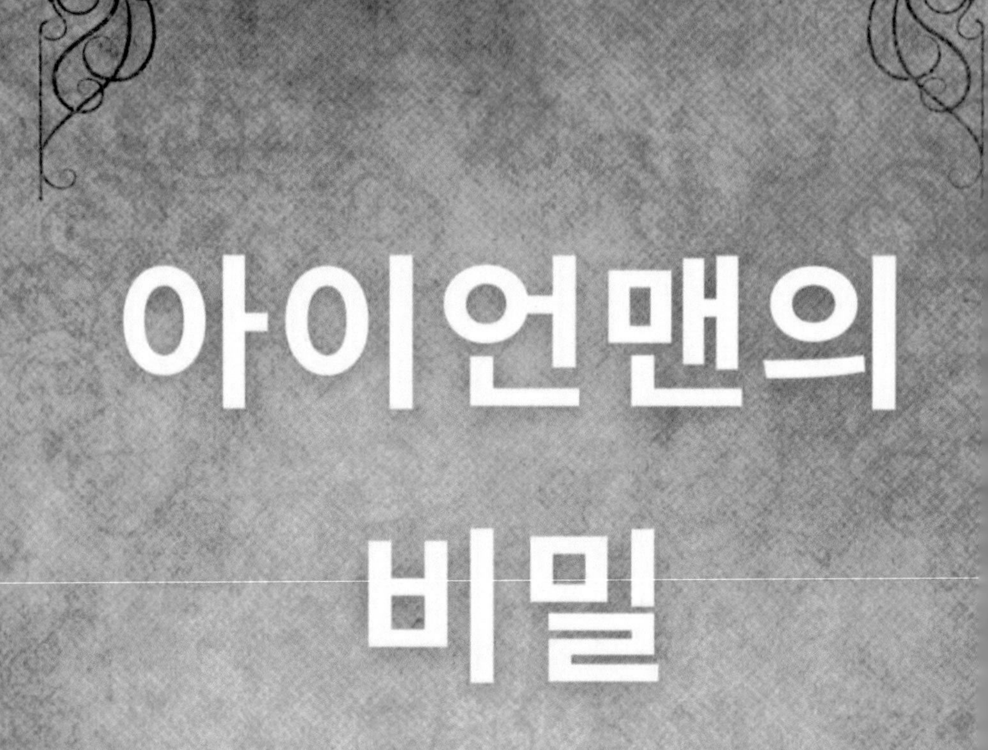

아이언맨의 비밀

아이언맨의 비밀과 특별한 장갑

어느 날 친구들과 숨바꼭질하던 로니는 어린이집 앞의 건물 차고로 숨어 들어갑니다. 그곳에서 로니는 놀랄만한 비밀을 발견하게 됩니다. 그의 꿈은 더 이상 상상 속의 이야기가 아닌 현실로 다가왔습니다.

로니가 컴컴한 차고에서 발견한 것은 아이언맨의 황금장갑이었습니다. 로니가 발견한 이 특별한 장갑은 아이언맨에게 힘을 주는 마법 같은 도구입니다. 황금빛으로 빛나는 이 장갑을 끼면 강한 힘이 생겨서 하늘을 날 수도 있고, 악당을 물리칠 수도 있습니다.

로니는 아이언맨의 장갑을 발견하는 순간 특별한 능력을 갖게 됩니다. 황금빛으로 둘러싸인 장갑은 로니에게 힘을 주었습니다. 로니는 이 특별한 장갑을 통해 아이언맨처럼 힘이 세고, 어려운 상황에서도 자신과 가족을 지키는 영웅이 될 기회를 얻게 됩니다.

슈퍼 히어로가 된 로니

그토록 가지고 싶던 황금장갑을 찾게 된 로니는 놀라움에 가슴이 두근거렸습니다. 황금장갑을 끼자마자 로니의 손끝에서 황금빛 빛줄기가 튀어나왔습니다. 로니와 친구들은 깜짝 놀랐습니다.

로니의 발이 공중으로 떠올랐습니다. 친구들은 로니의 팔을 잡고 함께 떠올랐습니다. 황금장갑을 찾은 로니는 이제 작은 슈퍼 히어로가 되었습니다.

모험의 시작

로니와 세 친구는 이 특별한 능력을 이용해 세상을 구하는 모험을 떠나자고 의견을 모았습니다. 이들은 모험의 시작에 앞서 서로 용기를 주고, 각자의 능력을 존중하며, 힘을 합치기로 약속했습니다.

로니와 친구들은 살기 좋은 세상을 만들기 위해 길을 나서게 됩니다. 그들의 모험은 각자의 특별한 능력과 우정이 어우러져 더욱 멋지고 의미 있는 것으로 펼쳐질 것입니다.

악당의 등장

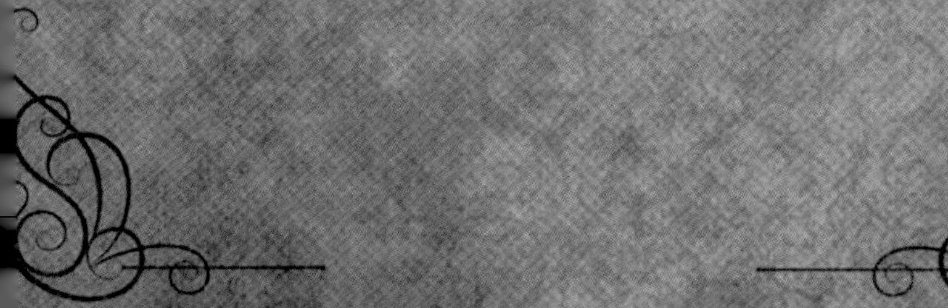

로니의 황금장갑을 뺏어라

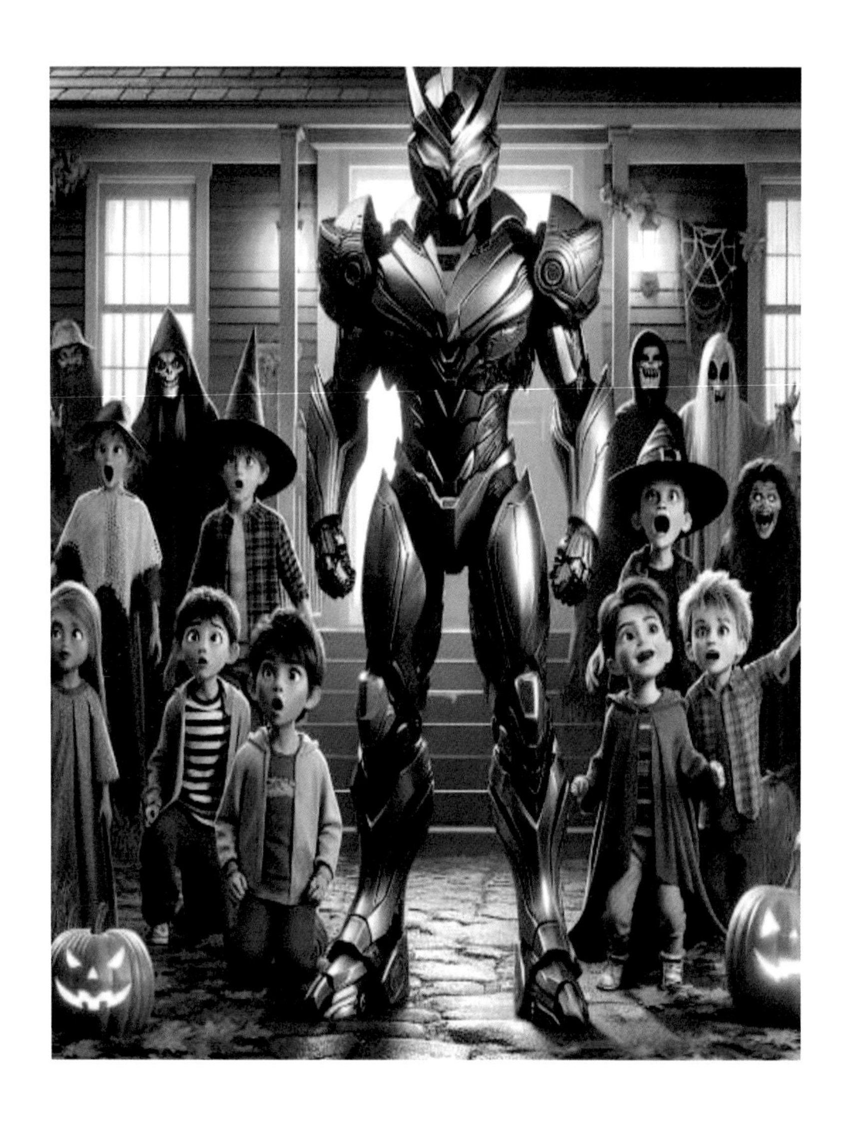

로니와 가족들이 즐겁게 밥을 먹고 있는 일요일 아침, 갑자기 사방이 어두워졌습니다. 창밖으로 검은 물체가 지나갔습니다.

얼마 전부터 도심에 나타나서 선량한 사람들을 괴롭히고 있는 악당들 같았습니다. 이 악당들은 어둠 속에서 더욱 강한 힘을 발휘합니다. 사람들을 병들고 아프게 하여 혼란에 빠뜨리고, 결국 세상을 지배하려는 야심 찬 계획을 세우고 있습니다.

악당들이 로니의 집 주변에 나타난 이유는 로니가 가지고 있는 황금장갑을 뺏기 위해서입니다. 로니가 황금장갑을 가지고 있으면 그들의 계획이 실현되기 어렵기 때문입니다.

로니의 용기와 친구들의 도움

로니와 가족들은 악당에 맞서 싸웠지만 힘이 부족했습니다. 로니는 친구들을 불렀습니다. 로니와 함께 힘을 갖게 된 친구들은 악당들과 싸우기로 했습니다. 모두 두려움이 조금씩 있었지만 힘을 합해서 용기를 냈습니다.

어둠 속의 악당들은 사악한 부하들과 함께 로니의 집으로 몰려들었습니다. 로니와 친구들은 머리를 맞대고 싸움에서 이길 방법을 찾아냈습니다. 나리는 집 주변에 정교한 함정을 설치하고, 도담이는 악당들의 주위를 돌며 시선을 분산시켰습니다. 마이클은 돌을 던져서 악당들의 눈을 정확하게 공격했습니다.

로니는 황금장갑을 끼고 하늘로 날아올라 악당들의 급소를 향해 강한 빛을 쏘았습니다. 로니와 친구들의 협공에 놀란 악당들이 서둘러 도망갔습니다. 악당들은 뒤를 돌아보며 다시 올 것이라고 소리를 질렀습니다.

아이언맨이 나타났다

며칠 후 악당들이 다시 나타났습니다. 전보다 훨씬 많은 숫자였습니다. 로니와 친구들이 힘겹게 어둠 속의 악당들과 맞서 싸우는 도중, 갑자기 강한 빛이 그들에게 다가왔습니다. 그 빛은 단단한 갑옷에 레이저 무기까지 갖춘 아이언맨이었습니다.

로니와 나리, 도담, 마이클은 아이언맨의 멋진 활약을 보고 놀랐습니다. 아이언맨의 도움으로 악당들은 산산이 부서졌습니다. 상처를 입은 악당 몇 명이 겨우 도망을 갔습니다.

로니의
변화와 성장

로니의 자신감과 용기

로니는 악당과의 대결을 통해 강한 자신감과 용기를 가지게 되었습니다. 소심하고 겁이 많았던 로니는 어느새 아이언맨처럼 강한 힘을 가지고, 어둠의 세력이 나타나도 두려워하지 않게 되었습니다.

악당들을 물리치면서 로니는 힘의 중요성뿐만 아니라, 친구들과의 협동이 얼마나 중요한지 깨달았습니다. 자신감이 생긴 로니는 매일 가족과 친구들을 열심히 돕고, 지키는 모습을 보여주었습니다.

황금장갑의 힘

로니가 발견한 황금장갑의 특별한 힘은 아이언맨의 기술과 로니의 마음이 어우러져 만들어진 것으로, 로니에게 엄청난 능력을 주었습니다.

황금장갑을 낀 로니는 놀라운 일들을 경험하게 됩니다. 손끝에서 황금빛 빛줄기가 튀어나오면 시간과 공간을 초월하여 불가능한 것도 가능하게 만들어 줍니다. 이제 로니는 황금장갑을 이용하여 고양이와 말을 하거나, 하늘을 나는 모험을 즐길 수 있게 되었습니다.

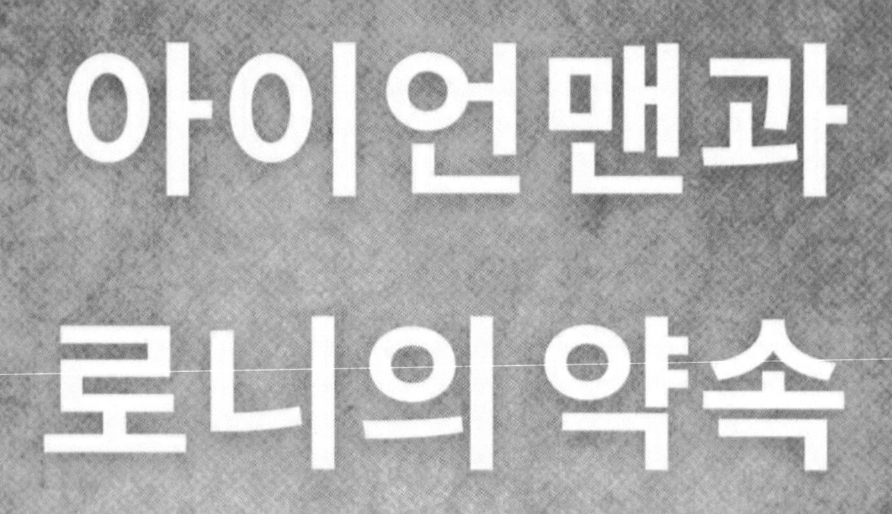
아이언맨과
로니의 약속

아이언맨과 만난 로니

로니는 모험이 시작된 이후, 아이언맨과 만나게 됩니다. 이 특별한 만남에서 아이언맨은 로니에게 지혜와 힘의 중요성에 대해 가르쳐 줍니다. 로니는 아이언맨과의 대화를 통해 자신이 가진 특별한 능력의 의미를 깨닫고, 이를 통해 어둠에 맞서는 사명을 더욱 확실하게 알게 되었습니다.

아이언맨은 로니에게 책임감과 용기가 함께 있어야만 진정한 힘이 될 수 있다고 말했습니다. 강력한 힘을 가지게 될수록 책임도 더 커지는 것이라고 했습니다. 로니는 아이언맨의 말처럼 자신에게 생긴 특별한 능력을 다른 사람들을 위해 쓰겠다고 약속했습니다.

힘을 가진 사람의 책임

로니는 아이언맨과 만난 이후에 힘에 대한 의미를 알게 되었습니다. 힘은 단순히 하늘을 날아다니고, 높은 벽을 넘거나 강력한 적을 물리치는 도구로만 사용되어서는 안 되는 것이었습니다.

아이언맨은 로니에게 힘을 어떻게 사용하느냐에 따라 세상을 더 좋은 곳으로 만들 수 있다고 가르쳐 주었습니다. 로니는 자신의 특별한 능력을 가족과 친구, 그리고 세상에 밝은 영향을 줄 수 있는 때만 써야겠다고 생각했습니다.

아이언맨이 로니에게 전해준 메시지

아이언맨은 로니에게 소중한 메시지를 남기고 사라졌습니다.

"로니야, 네가 가진 특별한 능력은 세상을 더 밝고 아름답게 만드는 힘이야. 그러나 이 힘을 사용할 때는 책임과 의무가 함께 있어야 한단다. 작은 힘도 큰 변화를 일으킬 수 있음을 명심해. 가족과 친구, 그리고 모두를 지키는 데에 네 힘을 쏟으렴. 언제나 자신을 믿고, 용기를 가져. 너의 힘으로 살기 좋은 세상을 만들어봐. 그리고 모험을 멈추지 말고 계속하렴."

로니와 친구들

다시 나타난 악당들

며칠 후 로니가 가지고 있는 황금장갑 때문에 싸움에서 처절하게 부서진 악당들이 다시 나타났습니다. 그들은 더 강한 힘으로 무장하고 분노하였습니다.

악당들은 로니 가족뿐만 아니라 도시 전체를 위협했습니다. 로니는 이제 더 이상 지체할 시간이 없다고 생각하고, 친구들과 함께 악당에 맞서 싸우기로 했습니다. 그들의 결단은 힘을 지닌 사람으로서의 책임감과 세상을 지키기 위한 의지에서 나온 것이었습니다.

로니와 친구들은 전보다 더 강하게 힘을 모았습니다. 악당들을 물리치는 것은 단순한 모험이 아니라, 세상을 더 안전하고 따뜻한 곳으로 만들기 위한 것임을 알기 때문이었습니다.

황금장갑의 승리

로니와 친구들은 어둠 속의 악당들에 맞서 싸우기 시작했습니다. 로니의 손끝에서 악당들을 향해 황금빛 빛줄기가 쉴 새 없이 뻗어 나갔습니다. 아이언맨을 만난 후 더욱 힘이 강해졌기 때문에 악당들이 하나둘씩 쓰러졌습니다.

마침내 로니와 친구들은 악당들을 모두 쓰러뜨렸습니다. 로니 혼자였으면 힘들었을지도 모릅니다. 그렇지만 친구들의 도움과 황금장갑의 힘으로 로니는 악당들을 물리칠 수 있었습니다. 세상에 밝은 빛을 되찾아 주었습니다.

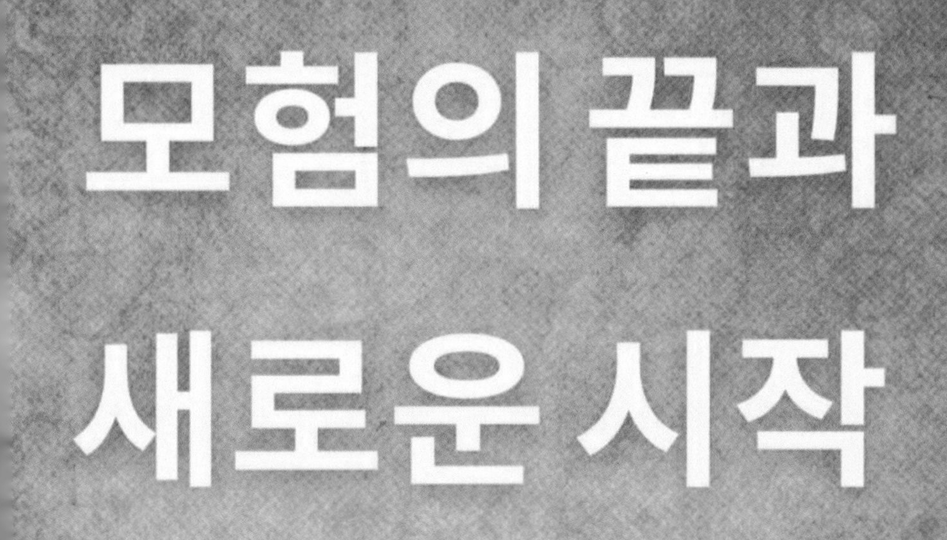

모험의 끝과 새로운 시작

평화로운 나날들

로니와 친구들이 덕분에 도시에 다시 평화가 찾아왔습니다. 이제 사람들은 걱정 없이 행복한 시간을 보낼 수 있게 되었습니다.

가족들은 로니와 친구들의 용기에 박수를 보내주었습니다. 5살 아이로 돌아온 로니는 가족들과 즐거운 나날을 보냈습니다. 개구쟁이 세 친구와 매일 신나게 뛰어놀았습니다.

새로운 모험을 기다리며

로니와 친구들이 어둠 속의 악당들을 물리친 후 평화로운 날들이 이어졌습니다. 그러나 그들은 여전히 호기심 가득한 눈으로 새로운 모험을 기다리고 있습니다. 로니와 친구들은 매일 모여서 새로운 모험을 향해 나갈 준비를 했습니다. 어떤 일이 그들을 기다리고 있을지 예측할 수 없지만, 로니와 친구들은 두렵지 않았습니다. 그들에게는 아이언맨의 황금장갑이 있기 때문이었습니다.

로니는 더 이상 소심한 겁쟁이 소년이 아니었습니다. 매일 밤 아이언맨처럼 힘이 세졌으면 좋겠다고 기도 하던 로니는 사람들을 위험에서 구해주는 작은 슈퍼 히어로가 되었습니다. 그리고 그 옆에는 항상 로니를 도와주는 멋진 친구들이 있었습니다. 이들이 있는 한 도시는 언제나 평화로울 것입니다.

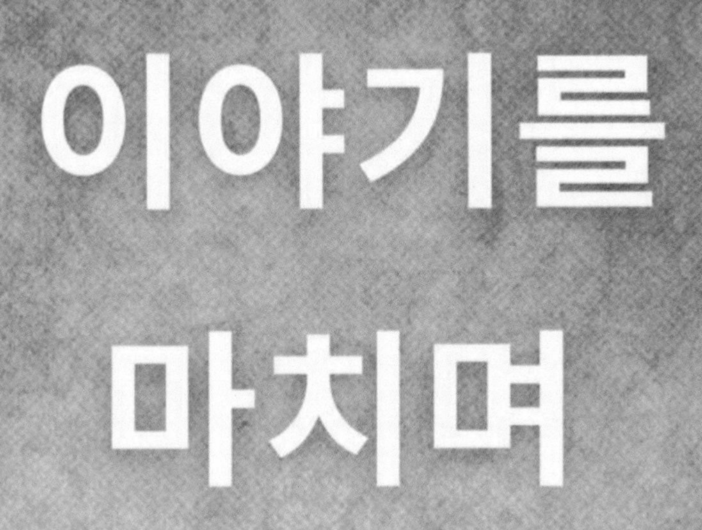
이야기를
마치며

로니와 아이언맨의 황금장갑을 마치며

로니와 아이언맨의 황금장갑 이야기는 꿈과 용기를 심어주고, 미지의 세계에 대한 호기심을 주며 끝을 맺게 됩니다.

로니는 우연히 발견한 황금장갑의 힘을 이용해 악당을 물리치고, 도시와 가족을 안전하게 구했습니다. 이제 그는 더 큰 꿈과 모험을 향해 나아가고 있습니다. 로니의 이야기는 끝이 아니라 새로운 시작을 암시하고 있습니다.

아이언맨에게서 힘을 사용하는 방법과 지혜를 전해 받은 로니는 이제 세상을 밝게 비추는 빛이 되었습니다. 로니의 모험은 우리에게 꿈을 향한 열망과, 힘과 책임의 무게를 가르쳐주었습니다. 그리고 우리 모두에게 용기를 주며, 새로운 도전에 대한 기대와 호기심을 키워주었습니다.

로니와 아이언맨의 이야기를 통해 미지의 세계로 거침없이 나아갈 수 있는 용기를 가지게 되었으면 좋겠습니다. 감사합니다.

이 책은 예민하고 소심하지만 큰 꿈을 품은 5살 소년 로니가 황금장갑을 찾으며 펼치는 모험의 이야기를 담고 있습니다. 특별한 능력을 얻게 된 로니는 그 능력을 활용해 가족과 친구들을 지키기 위한 여정에 나서게 됩니다. 작은 몸집에도 불구하고 로니의 용기와 성장이 독자들에게 전해져, 아이들은 로니와 함께 모험을 통해 용감함과 희망을 배우게 됩니다. 황금장갑을 통해 로니는 어려운 상황에 맞서고 친구들과 협력하여 큰 힘을 발휘하는 모습을 보여줍니다. 동화책은 꿈과 용기, 친구와 가족에 대한 소중함을 간결하면서도 감동적인 이야기로 전달하며, 어린 독자들에게 긍정적인 메시지를 전합니다.

값 8,200원

03000
9 791193 116470
ISBN 979-11-93116-47-0

한국에서 에어비앤비로 돈버는 모든 방법

NANA KIM 지음

열린 인공지능